数学能力 · 一样多

谁和谁一样多？

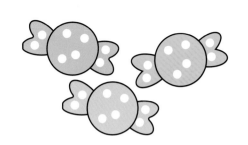

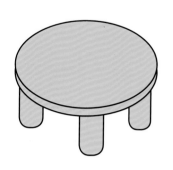

妈咪课堂 ｜ 用分食物的方法最容易教宝宝识数。让宝宝将糖果、花生或核桃分成一样多的几份，可以锻炼宝宝的数学能力。

哪堆多呢?

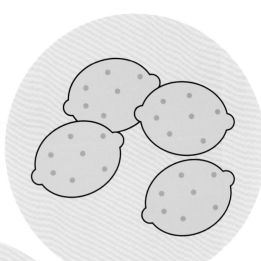

妈咪课堂 | 教宝宝辨别哪堆多,可以让他用笔一对一连线,哪一堆如果还有多余的,就是多的一堆。

甜甜的东西在哪儿?

妈咪课堂 | 教宝宝用词去形容尝出的味道：酸酸的、甜甜的，等等；还有口感：软软的、脆脆的，等等。

哪些东西会滚来滚去？

妈咪课堂 | 平时，可以拿一个小皮球在宝宝的脸上、身上滚一滚，边滚边告诉宝宝滚到哪里了。宝宝的目光会紧随着小皮球。

找一找规律，把玩偶与合适的 □ 相连。

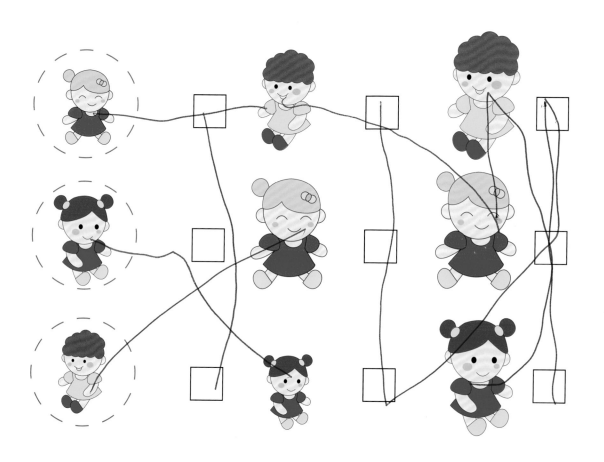

妈咪课堂 | 抓住规律排序的游戏在日常生活中也可以经常进行，比如按一定的规律串珠子等。

5

哪一边比较重呢?

妈咪课堂 | 对于外观相似的两件东西,用手去提或托一下它们就能分辨出哪一个更重一些。让宝宝多进行这样的练习,提高宝宝的分辨力。

看看小动物们手中的字卡，请你配配对。

妈咪课堂 | 平时，可以将字卡和毛绒玩具结合起来教宝宝识字，培养宝宝识字的兴趣。

三张照片中哪一处景物相同?

妈咪课堂 | 教宝宝先进行两个之间的比较,找出共同点之后,再和第三个进行比较。

谁和谁的意思相反？

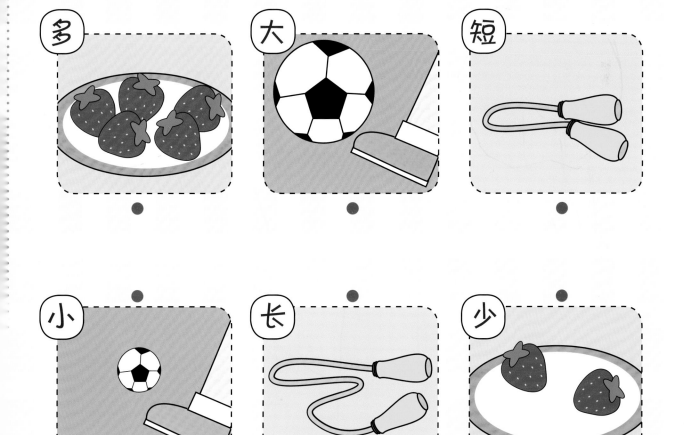

多　大　短

小　长　少

妈咪课堂 ｜ 先让宝宝理解对比的概念，然后学说反义词。妈妈可以先说一个词，然后让宝宝说出反义词，增强亲子互动。

这三只小动物的家分别在哪里？

哪个是白天，哪个是黑夜？

妈咪课堂 | 让宝宝认识白天和黑夜以及二者区别，有助于宝宝作息习惯的养成。

将床上面的 ○ 起来，床下面的 □ 起来。

妈咪课堂 | 可以给宝宝一个玩具，让宝宝根据妈妈的要求将玩具放在不同位置。

帮图中的娃娃穿穿衣服吧!

 妈咪课堂 | 教宝宝认识身体的各个部位,并告诉宝宝:不同的身体部位可以配哪些不同的服饰。

14

他们需要用什么?

妈咪课堂 | 教宝宝通过观察，了解日常用品的用途。如果大人要出门上班或买菜，可以让宝宝帮忙拿来需要带的东西。

哪两半儿可以组成一个完整的蛋壳呢?

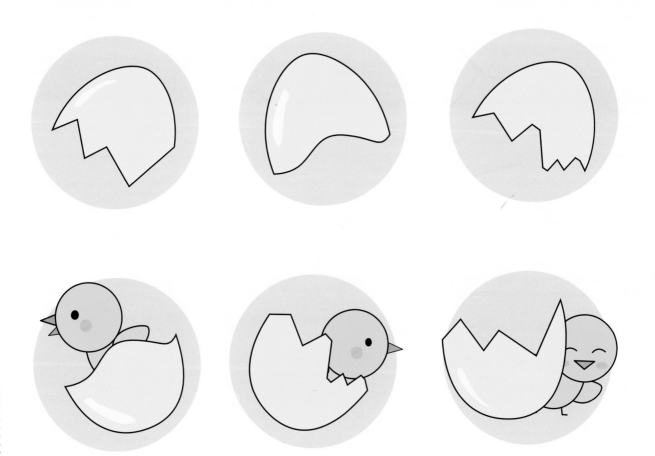

妈咪课堂 | 教宝宝认识分成两半的图形或图片,并能将它们区别开和拼好,同时提醒宝宝拼图时要明确哪块在上,哪块在下,哪块在左,哪块在右。

谁和谁经常会一起出现？

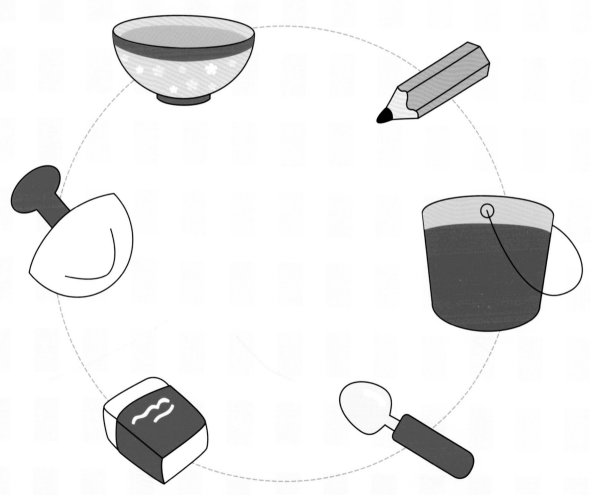

妈咪课堂｜平常可以在教宝宝认识图卡、字卡的同时，将其中经常会一起出现的挑出来，并让宝宝试着说一说它们有什么关系。

根据手里的图形，帮它们找到各自的旅馆。

妈咪课堂 | 通过这样的游戏，可以训练宝宝认知局部与整体的关系。

找找你自己用的东西。

妈咪课堂 用途差别较小的物品对于宝宝来说不是很容易分类，因此可以利用各种机会让宝宝进行归类整理的练习。

19

哪只小动物最重？在它的船上画一面小旗子。

妈咪课堂 | 家长可以给宝宝讲一讲曹冲称象的故事，并简单介绍其中的原理，开拓宝宝对于重量比较方法的思路。

它们分别缺少了哪一个部位呢?

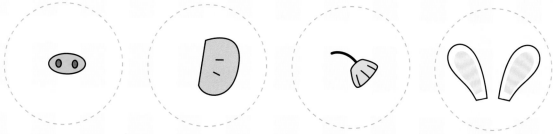

妈咪课堂 | 宝宝往往喜欢小动物,但对动物的了解非常少,所以应该帮助宝宝了解更多的关于小动物的知识。

涂色

空白的格子是什么颜色?

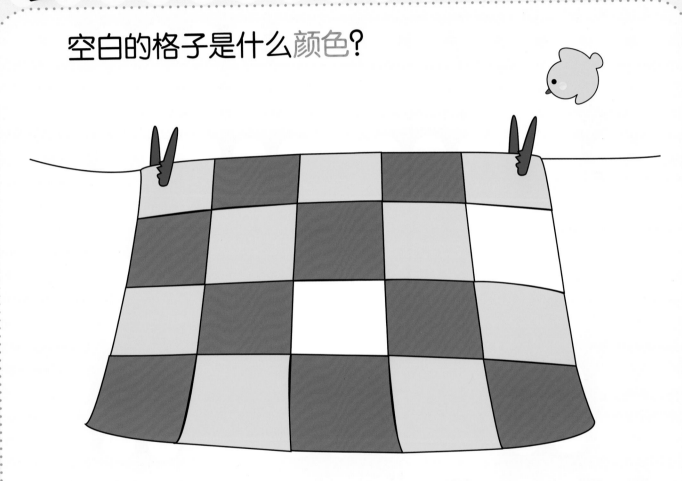

妈咪课堂 | 教宝宝不要急着动笔,先找出图中的规律再涂颜色,宝宝会感到更有趣。

他们是做什么工作的呢?

妈咪课堂 | 告诉宝宝每个家人从事的分别是哪种职业,教宝宝学习不同职业的称呼,并学会尊重各个行业的成员。

哪个是小鸭子的家?

妈咪课堂 | 可以和宝宝光着脚,在铺有一层沙子的地面上走,走过后就会出现一大一小两串脚印,宝宝会感到很兴奋。

帮小熊把洗浴用品找出来吧。

洗发水
xi fa shui

沐浴露
mu yu lu

妈咪课堂 | 在每次洗澡之前，让宝宝自己选择需要的洗浴用品。在洗澡的时候，可以教宝宝说说这些用品的名称。

哪个是妞妞房间里的钟表？涂一涂。

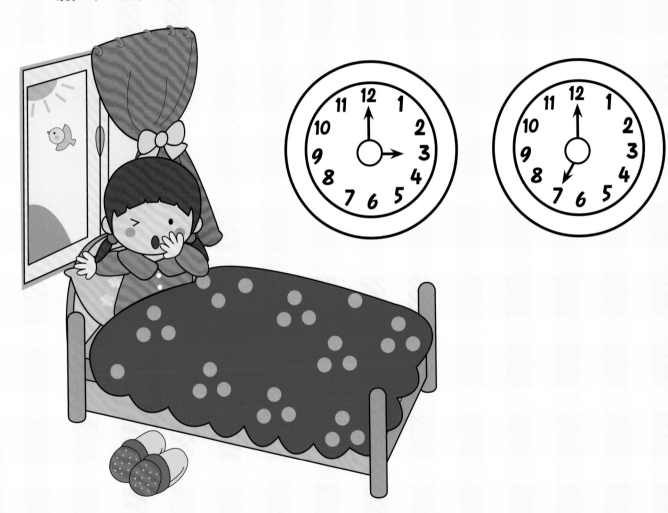

妈咪课堂 | 保持有规律的生活习惯，更有利于宝宝学认时间，同时要教导宝宝要有时间观念。

数学能力**吹泡泡**

她一共吹了**几**个泡泡呢?

妈咪课堂 | 口头数数的训练一定不要间断,经常数才会加深宝宝的记忆。

该说什么呢?

不客气

谢谢

妈咪课堂 | 教宝宝学会使用礼貌用语,而且要认真听别人和自己说话,否则是不礼貌的行为。

按数字1～10的顺序连线吧。

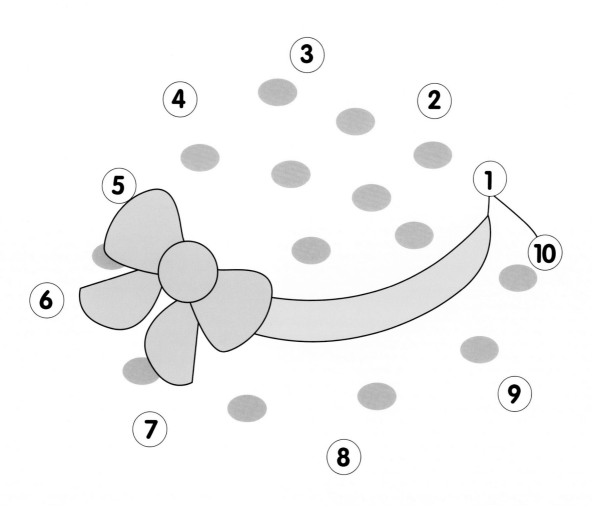

妈咪课堂 ｜ 未知的画面一定会吸引宝宝按照题目的要求寻找到答案。

谁会飞?

妈咪课堂 和宝宝一起看动物和交通工具的卡片,让宝宝指出哪些会飞,并让宝宝想一想,他见过的还有哪些东西会飞呢?

它们的盖子在哪里?

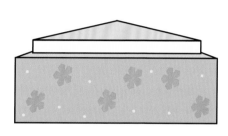
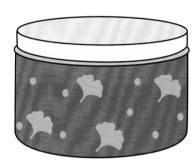

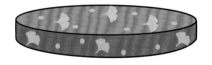

妈咪课堂 | 可以将六、七个瓶子或盒子的盖子打开混在一起,然后让宝宝选择合适的盖在相应的瓶子或盒子上,完成后宝宝会有一种成就感。

一共有**多少只**小动物呢?

妈咪课堂 | 捉迷藏是宝宝非常喜欢的一个游戏，经常和宝宝玩户外捉迷藏，既能给宝宝带来乐趣，还可以增加宝宝的运动量。

画出更多酸酸甜甜的葡萄吧。

妈咪课堂 | 教宝宝用圈、点、线进行组合画画，然后让宝宝试着说一说最后变成的图案。

将对称的物品找出来。

妈咪课堂 | 让宝宝了解对称的含义。在家里或外出时，要经常让宝宝找一找对称的物品，加深他的理解。

你能找出哪个是最后一次盖的图案吗?

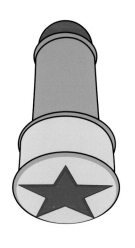

提示

次数越多
颜色越浅

妈咪课堂 | 可以准备一个调色盘,在宝宝面前演示被水稀释的颜料越来越浅,宝宝会非常感兴趣。

帮忙分分餐具吧。

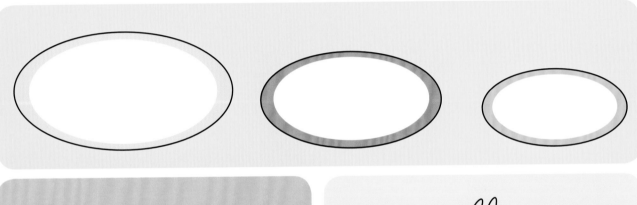

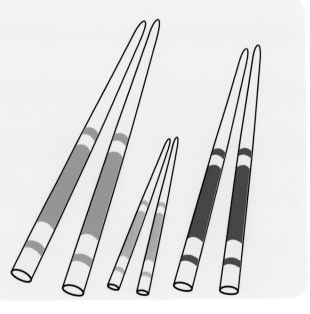

妈咪课堂 | 在日常生活中，让宝宝帮忙分餐具，不但可以培养宝宝的独立能力，也有助于宝宝做好吃饭的心理准备。

右边的摸起来分别是什么样的感觉?

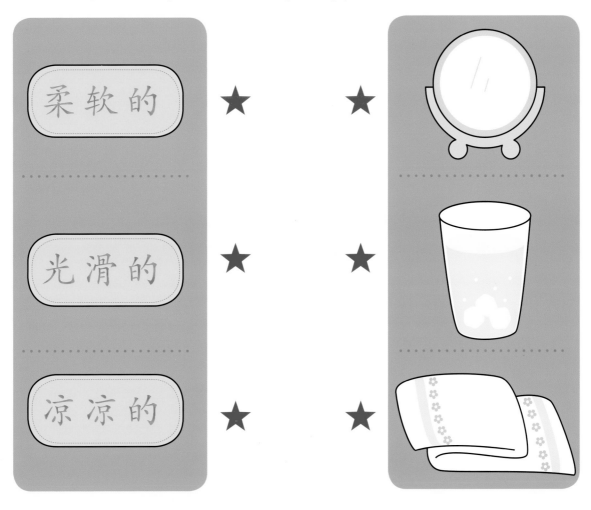

柔软的	★	★	镜子
光滑的	★	★	杯子
凉凉的	★	★	毛巾

妈咪课堂 | 经常拿不同的东西让宝宝摸一摸,有助于提高宝宝感觉的灵敏性,锻炼大脑的思维判断能力。

将绿颜色的蔬菜找出来。

妈咪课堂 | 先教宝宝认识他最爱吃的蔬菜，然后让他试着说一说，说出几种就应鼓励他。经常这样玩，宝宝就能记住常吃的蔬菜名称。

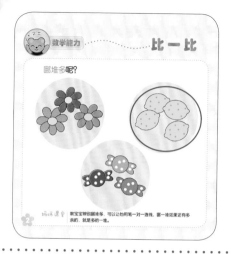

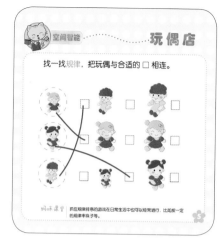

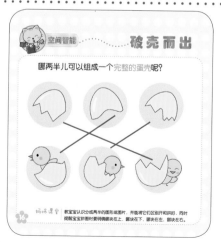

部分参考答案

认知能力 · · · · · · · · · · **部位**

它们分别缺少了哪一个部位呢?

宝宝住住在喜欢小动物，但对动物的了解非常少，所以应该帮助宝宝了解更多的关于小动物的知识。

21

认知能力 · · · · · · · · · · **识脚印**

哪个是小鸭子的家?

可以和宝宝光着脚，在铺有一层沙子的地面上走，走过后就会出现一大一小两串脚印，宝宝会感到颇兴奋。

24

独立能力 · · · · · · · · · · **洗澡**

帮小熊把洗浴用品找出来吧。

洗发水 xi fa shui
洗发露 mu yu lu

在每次洗澡之前，让宝宝自己选择需要的洗浴用品。在洗澡的时候，可以教宝宝说说这些用品的名称。

25

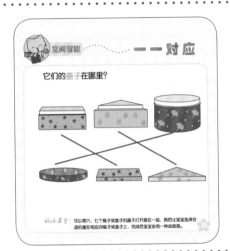

空间智能 · · · · · · · · · · **一一对应**

它们的盖子在哪里?

可以将六、七个瓶子或盒子的盖子打开放在一起，然后让宝宝选择合适的盖子盖在相应的瓶子或盒子上，完成宝宝会有一种成就感。

观察能力 · · · · · · · · · · **捉迷藏**

一共有多少只小动物呢?

捉迷藏是宝宝非常喜欢的一个游戏，经常和宝宝玩户外捉迷藏，既能给宝宝带来乐趣，还可以增加宝宝的活动量。

32

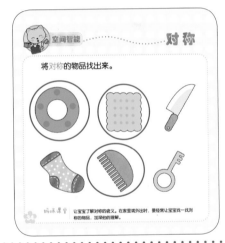

空间智能 · · · · · · · · · · **对称**

将对称的物品找出来。

让宝宝了解对称的定义。在家里或外出时，要经常让宝宝找一找对称的物品，加深他的理解。

分析能力 · · · · · · · · · · **识深浅**

你能找出哪个是最后一次盖的图案吗?

提示
次数越多
颜色越浅

可以准备一个调色盘，在宝宝面前演示被水稀释的颜料越来越浅，宝宝会非常感兴趣。

40

35

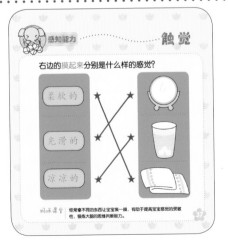

感知能力 · · · · · · · · · · **触觉**

右边的摸起来分别是什么样的感觉?

柔软的
光滑的
凉凉的

经常拿不同的东西让宝宝摸一摸，有助于提高宝宝感觉的灵敏性，锻炼大脑的思维判断能力。

37

认知能力 · · · · · · · · · · **绿色蔬菜**

将绿颜色的蔬菜找出来。

先让宝宝认识他最爱吃的蔬菜，然后让他试着说一说，说出几种就应鼓励他。经常这样玩，宝宝就能记住常见的蔬菜的名称。

38